cet après-midi, c'est

CUPCAKES

JANET SMITH

PHOTOGRAPHIES DE DEIRDRE ROONEY

MARABOUT

SOMMAIRE

CAKES

HANDLE WITH CARE

984

ASTUCES

CAISSETTES ET MOULES

Il existe plusieurs formats de caissettes en papier adaptées aux moules utilisés.
Vous pouvez également réaliser les cupcakes sans moule en déposant les caissettes
sur une plaque à four mais leur forme sera irrégulière et moins jolie.

Certains gâteaux dont la pâte est assez humide doivent être plutôt cuits dans des caissettes
rigides en aluminium pour conserver une jolie forme. Choisissez des caissettes en papier
adaptées à la cuisson au four.

Les moules à muffins se présentent généralement sous la forme d'une plaque de 6 ou
12 trous d'environ 7 cm de diamètre et 4 cm de profondeur chacun. Préférez les plaques
de 12 trous. Les moules à gâteaux individuels existent en plaque de 12 trous mais ils
sont moins profonds que ceux des moules à muffins. Chaque trou mesure environ
7 cm de diamètre et 2 à 3 cm de profondeur.

Pour les moules à muffins et les moules à gâteaux individuels, utilisez des caissettes
en papier de taille normale. Les caissettes en papier pour muffins mesurent généralement
55 mm de diamètre et 40 mm de profondeur et les caissettes pour gâteaux individuels
45 mm de diamètre et 25 mm de profondeur. Pour les mini-muffins, il existe des plaques
à mini-muffins et des petites caissettes en papier.

Remplissez les caissettes sans faire tomber de pâte sur les bords ou le haut des caissettes.
Si vous préparez une pâte assez liquide, il est plus facile de la transvaser dans une carafe
puis de la verser dans les caissettes.En cas de pâte plutôt compacte, il vaut mieux remplir
les caissettes en vous servant de deux cuillères à café. Prenez une bonne cuillerée de pâte
puis faites-la glisser dans la caissette à l'aide de la deuxième cuillère. Ne remplissez pas
trop les caissettes ou la pâte risquerait de déborder à la cuisson.

POUR VÉRIFIER LA CUISSON DES CUPCAKES

• Pressez légèrement le centre du gâteau du bout du doigt. La surface du gâteau doit se reformer aussitôt sans laisser de trace. Procédez rapidement en sortant les gâteaux à moitié du four car s'ils ne sont pas assez cuits, vous pourrez les enfourner de nouveau sans perdre trop de chaleur, sinon ils risqueraient de ne pas suffisamment gonfler.
• Une bonne odeur de gâteau se répand dans la cuisine.
• On entend un grésillement. Celui-ci s'arrête lorsque les gâteaux sont cuits.
• Regardez la couleur. Les cupcakes à la vanille doivent être dorés clairs – ne les laissez pas trop cuire car ils seraient recouverts d'une croûte dure.
• Lorsque vous cuisez de gros cupcakes dans des moules à muffins, vous pouvez vérifier la cuisson en plantant la pointe d'un couteau au centre du gâteau. Si la lame ressort sèche, les gâteaux sont cuits.

GLAÇAGE ET DÉCORATION DES GÂTEAUX

Il est souvent difficile d'attendre que les cupcakes aient complètement refroidi avant de les glacer. Or certains glaçages comme la crème au beurre et les crèmes fouettées redoutent particulièrement la chaleur et fondent alors, donnant à vos gâteaux piètre allure. Cependant, il faut reconnaître que les cupcakes tièdes recouverts de chocolat fondu ou de glaçage au sucre glace sont absolument divins.

CONSERVATION

La plupart des gâteaux sont meilleurs lorsqu'ils sont dégustés le jour même. Ils doivent être conservés dans une boîte hermétique. Les gâteaux réalisés avec des fruits frais et de la crème fraîche doivent être conservés au frais ou au réfrigérateur en été. Sortez-les un peu à l'avance avant de les manger.

Si vous souhaitez congeler des cupcakes, il vaut mieux les congeler sans glaçage. Placez les gâteaux cuits sur une plaque après avoir retiré les caissettes en papier et congelez-les jusqu'à ce qu'ils soient durs, puis transférez-les dans des sacs de congélation.

GLAÇAGES ET GARNITURES

5 MIN DE PRÉPARATION

POUR 12 CUPCAKES
200 g de sucre glace
colorant alimentaire,
parfum (facultatif)

GLAÇAGE AU SUCRE GLACE

Tamisez le sucre glace dans un saladier pour éliminer
les grumeaux. Il doit être bien fluide. Ajoutez progressivement
1 cuillère à soupe d'eau chaude si vous souhaitez utiliser
le glaçage pour recouvrir un gâteau et un peu moins si vous
souhaitez l'utiliser pour réaliser des décors. Mélangez à l'aide
d'une cuillère en bois pour obtenir un mélange bien lisse.
Ajoutez le colorant et le parfum de votre choix.

GLAÇAGE À L'ORANGE OU AU CITRON

Mélangez le zeste râpé au sucre glace et remplacez l'eau
par le jus de l'agrume choisi.

GLAÇAGE À L'EAU DE ROSE OU À L'EAU DE FLEUR D'ORANGER

Remplacez l'eau par de l'eau de rose ou de l'eau de fleur
d'oranger.

GLAÇAGE AU CAFÉ

Mélangez 1 cuillère à soupe de café soluble dans l'eau
chaude.

GLAÇAGE AU CHOCOLAT

Tamisez 1 cuillère à soupe bien pleine de cacao en poudre
dans un bol et mélangez avec de l'eau pour obtenir une pâte.
Mélangez-la au glaçage.

10 MIN DE PRÉPARATION

POUR 12 CUPCAKES
100 g de beurre doux
mou
200 g de sucre glace
1 c. à café d'extrait
de vanille
un peu de lait (facultatif)

CRÈME AU BEURRE À LA VANILLE

Dans un saladier, travaillez le beurre à l'aide d'une cuillère
en bois jusqu'à ce qu'il soit bien souple. Tamisez et ajoutez
le sucre glace. Battez jusqu'à ce que le mélange soit léger
et mousseux. Ajoutez l'extrait de vanille. Ajoutez un peu de lait
ou d'eau tiède si la pâte ne vous semble pas assez souple.

CRÈME AU BEURRE AU CHOCOLAT

Mélangez 1 à 2 cuillères à soupe bien pleines de cacao en
poudre avec 1 cuillère à soupe d'eau chaude. Laissez refroidir
légèrement puis incorporez dans la crème au beurre. Battez
pour bien mélanger.

CRÈME AU BEURRE AUX AMANDES GRILLÉES

Faites griller 2 cuillères à soupe d'amandes mondées
et finement hachées. Incorporez-les dans la crème
au beurre avec quelques gouttes d'arômes d'amande.

CRÈME AU BEURRE AU CAFÉ

Préparez la crème au beurre sans mettre de vanille.
Mélangez 2-3 cuillères à café de café soluble dans 1 cuillère
à soupe d'eau chaude. Laissez refroidir un peu et incorporez
à la crème au beurre. Battez pour bien mélanger.

CRÈME AU BEURRE AUX FRUITS ROUGES

Écrasez environ 100 g de fraises, framboises ou myrtilles
fraîches et incorporez-les dans la crème au beurre.

SAUCE À LA FRAMBOISE
5 MIN DE PRÉPARATION
POUR 150 ML DE SAUCE

225 g de framboises fraîches

1 trait de jus de citron

1 trait de crème de cassis

1 c. à soupe de sucre glace

Écrasez les framboises dans une passoire pour retirer les pépins. Ajoutez le jus de citron, la crème de cassis et le sucre.

SAUCE CHAUDE AU CHOCOLAT
10 MIN DE PRÉPARATION - 20 MIN DE CUISSON
POUR 250 ML DE SAUCE

200 g de chocolat noir

200 ml de crème fraîche épaisse (entière)

Mettez le chocolat et la crème dans un saladier en verre. Posez le saladier sur une casserole d'eau frémissante sans que le fond du saladier ne touche l'eau. Faites fondre le chocolat tout en remuant. Servez chaud.

LEMON CURD
10 MIN DE PRÉPARATION - 20 MIN DE CUISSON
POUR 1 POT

le zeste de 4 citrons non traités + le jus de 2 citrons non traités

2 oeufs

50 g de beurre doux coupé en dès

175 g de sucre en poudre

1- Mettez tous les ingrédients dans un saladier en verre et mélangez. Posez le saladier sur une bain-. Remuez jusqu'à ce que le sucre fonde. Poursuivez la cuisson à feu doux en remuant constamment – cela peut prendre 20 minutes, la crème ne doit pas bouillir. La crème est prête lorsqu'elle nappe le dos d'une cuillère (elle doit être relativement épaisse).
2- Versez la crème dans un pot à confiture propre et ébouillanté. Laissez refroidir avant de l'utiliser. La crème se conserve une dizaine de jours au réfrigérateur.

POUR AMÉLIORER VOS CUPCAKES

VOS GÂTEAUX SONT SECS

Causes possibles
- Les ingrédients ont été mal pesés.
- Les gâteaux sont trop cuits.
- Les gâteaux n'ont pas été conservés dans un récipient hermétique.

Conseils
- Optez pour un abondant glaçage riche et onctueux.

VOS GÂTEAUX SONT LOURDS ET COMPACTS

Causes possibles
- Vous avez ajouté trop de liquide. Mesurez les quantités à l'aide d'une cuillère doseuse la prochaine fois.
- Vous n'avez pas mis assez de levure chimique. Utilisez également une cuillère doseuse pour mesurer.
- La pâte est tombée et n'a pas emmagasiné assez d'air. Ajoutez un peu de farine en battant les oeufs la prochaine fois.

Conseils
- Des fruits rouges frais et de la crème fouettée.

VOS GÂTEAUX SONT POINTUS ET FENDUS

Causes possibles
• Le four était trop chaud.
• La pâte n'était pas assez fluide. Ajoutez un peu plus de liquide la prochaine fois
ou utilisez des œufs plus gros.
• Les caissettes en papier étaient trop remplies.

Conseils
• Découpez le sommet à l'aide d'un couteau et décorez les gâteaux comme prévu.
• Découpez le sommet à l'aide d'un couteau, couvrez de crème au beurre
et de confiture ou de lemon curd et replacez le morceau découpé sur la garniture.
Saupoudrez de sucre glace.

LES GÂTEAUX SE SONT AFFAISSÉS AU CENTRE

Causes possibles
• La pâte était trop liquide.
• Vous avez mis trop de bicarbonate de soude ou de levure chimique dans la pâte.
• Le four n'était pas à la bonne température lorsque vous avez enfourné les gâteaux
ou n'a pas atteint la bonne température en cours de cuisson. Vérifiez la température
à l'aide d'un thermomètre à four.
• Les gâteaux n'étaient pas assez cuits lorsque vous les avez sortis du four
et ils se sont affaissés au milieu.

Conseil
• Recouvrez-les d'un glaçage au sucre glace, de chocolat fondu
ou de glaçage mousseux.

CUPCAKES FACILES À LA VANILLE

15 MIN DE PRÉPARATION - 10-15 MIN DE CUISSON

POUR 12 OU 18 GÂTEAUX

Pour la génoise nature

110 g de beurre mou

110 g de sucre en poudre

2 œufs moyens ou gros

1 c. à café d'extrait de vanille

110 g de farine avec levure incorporée

1 c. à café de levure chimique

1 c. à soupe de lait

Pour décorer

sucre glace pour saupoudrer (facultatif)

glaçage au sucre glace (facultatif)

perles argentées et vermicelles multicolores

1 - Préchauffez le four à 180 °C et placez 18 caissettes en papier dans deux plaques de 12 gâteaux individuels ou 12 caissettes en papier dans une plaque de 12 muffins.

2 - Mettez le beurre dans un saladier (à fond arrondi de préférence). Posez le saladier sur un torchon légèrement humide et plié pour qu'il ne bouge pas.

3 - À l'aide d'une cuillère en bois, travaillez le beurre jusqu'à ce qu'il soit bien souple. Ajoutez le sucre, les œufs, l'extrait de vanille, la farine, la levure et le lait tout en continuant à battre énergiquement jusqu'à ce que les ingrédients soient bien mélangés et que la pâte soit onctueuse. Soulevez une cuillerée de pâte au-dessus du saladier et donnez un petit coup sur la cuillère. Si la pâte se détache difficilement de la cuillère, ajoutez un peu de lait et mélangez. Recommencez le test pour vérifier la consistance de la pâte. À l'aide de 2 cuillères à café, répartissez la pâte dans les caissettes en papier et faites cuire 10-15 minutes jusqu'à ce que les gâteaux soient bien gonflés et dorés.

4 - Démoulez et laissez refroidir sur une grille. Ces cupcakes sont délicieux lorsqu'ils sont servis tièdes et saupoudrés de sucre glace. Si vous les recouvrez d'un glaçage au sucre glace, décorez-les de perles argentées et de vermicelles multicolores.

CUPCAKES À L'AMÉRICAINE

35 MIN DE PRÉPARATION - 15-20 MIN DE CUISSON

POUR 12 GÂTEAUX

**Pour la génoise
à l'américaine**

200 g de sucre vanillé

2 œufs

4 c. à soupe bien pleines
de crème fraîche épaisse

120 ml d'huile de
tournesol ou de pépins
de raisin

200 g de farine

1/2 c. à café de levure
chimique

1/2 c. à café de
bicarbonate de soude

1 bonne pincée de sel

**Pour le glaçage
à la crème fouettée**

50 g de beurre mou

110 g de sucre glace

4 c. à soupe bien pleines
de crème fraîche épaisse

1 c. à café d'extrait
de vanille

framboises fraîches,
chocolat râpé, bonbons
ou dragées pour décorer

1- Préchauffez le four à 180 °C et placez 12 caissettes
en papier dans une plaque de 12 muffins.

2- Mettez le sucre et les oeufs dans un saladier et fouettez
au batteur électrique jusqu'à ce que le mélange épaississe
et blanchisse. Lorsque vous soulevez le fouet, il doit rester
une trace dans la pâte.

3- Ajoutez la crème fraîche et fouettez. Ajoutez ensuite l'huile
peu à peu tout en fouettant. Tamisez la farine, la levure,
le bicarbonate de soude et le sel, puis incorporez-les à la pâte.
Battez jusqu'à ce la pâte soit bien lisse et sans grumeaux.

4- Versez la pâte dans une carafe puis remplissez
les caissettes en papier (elles doivent être relativement
remplies). Faites cuire 15-20 minutes jusqu'à ce que
les cupcakes soient bien gonflés et souples au toucher.
Démoulez et laissez refroidir sur une grille.

5- Pour réaliser le glaçage, mettez le beurre et le sucre dans
un saladier et fouettez à l'aide d'un batteur électrique jusqu'à
ce que le mélange blanchisse. Ajoutez la crème fraîche
et continuez de battre pour que le glaçage soit bien léger.
Ajoutez l'extrait de vanille. Déposez le glaçage sur les gâteaux
en formant des spirales et décorez selon votre envie.

22

CUPCAKES À L'ORANGE

35 MIN DE PRÉPARATION - 10-15 MIN DE CUISSON

POUR 9 GÂTEAUX

Pour la génoise à l'orange

110 g de beurre très mou

110 g de sucre en poudre

2 œufs

le zeste finement râpé d'une grosse orange

2 c. à soupe de jus d'orange

110 g de farine avec levure incorporée

1 c. à café rase de levure chimique

1 c. à soupe de graines de pavot, plus un peu pour décorer

Pour le glaçage à l'orange

100 g de sucre glace

le zeste finement râpé et le jus de 2 oranges

1- Préchauffez le four à 180 °C et placez 9 caissettes en papier dans une plaque de 12 muffins.

Dans un saladier, travaillez le beurre jusqu'à ce qu'il soit bien souple. Ajoutez le sucre, les œufs, le zeste et le jus d'orange, la farine et la levure. Battez jusqu'à ce que le mélange soit bien crémeux. Pour tester la consistance de la pâte, soulevez une cuillerée de pâte au-dessus du saladier et donnez un petit coup sur la cuillère. Si la pâte se détache difficilement de la cuillère, ajoutez un peu de jus d'orange et mélangez. Recommencez le test. Incorporez les graines de pavot.

2- À l'aide de 2 cuillères à café, répartissez la pâte dans les caissettes en papier et faites cuire 10-15 minutes jusqu'à ce que les gâteaux soient bien gonflés et dorés. Démoulez et laissez refroidir sur une grille.

3- Pour préparer le glaçage, tamisez le sucre glace dans un saladier. Ajoutez le zeste et le jus d'orange ainsi qu'un peu d'eau et mélangez pour obtenir un glaçage assez fluide. Versez une cuillère de glaçage sur les gâteaux et décorez avec des fleurs en sucre puis laissez durcir avant de servir.

CUPCAKES AU CITRON

35 MIN DE PRÉPARATION - 10-15 MIN DE CUISSON

POUR 18 GÂTEAUX

Pour la génoise au citron

110 g de beurre très mou

110 g de sucre en poudre

2 œufs

le zeste finement râpé d'un gros citron

1 c. à soupe de jus de citron

110 g de farine avec levure incorporée

1 c. à café rase de levure chimique

Pour le glaçage au citron

100 g de sucre glace

le zeste finement râpé et le jus de 2 gros citrons

fleurs jaunes en sucre pour décorer

1- Préchauffez le four à 180 °C et placez 18 caissettes en papier dans deux plaques de 12 gâteaux individuels.

2- Dans un saladier, travaillez le beurre jusqu'à ce qu'il soit bien souple. Ajoutez le sucre, les oeufs, le zeste et le jus de citron, la farine et la levure. Battez jusqu'à ce que le mélange soit bien crémeux. Pour tester la consistance de la pâte, soulevez une cuillerée de pâte au-dessus du saladier et donnez un petit coup sur la cuillère. Si la pâte se détache difficilement de la cuillère, ajoutez un peu de jus de citron et mélangez. Recommencez le test.

3- À l'aide de 2 cuillères à café, répartissez la pâte dans les caissettes en papier et faites cuire 10-15 minutes jusqu'à ce que les gâteaux soient bien gonflés et dorés. Démoulez et laissez refroidir sur une grille.

4- Pour préparer le glaçage, tamisez le sucre glace dans un saladier. Ajoutez le zeste et le jus de citron ainsi qu'un peu d'eau et mélangez pour obtenir un glaçage assez fluide. Versez une cuillère de glaçage sur les gâteaux et décorez avec des fleurs en sucre puis laissez durcir avant de servir.

CUPCAKES AUX RAISINS SECS

20 MIN DE PRÉPARATION - 10-15 MIN DE CUISSON

POUR 18 GÂTEAUX

**Pour la génoise
aux raisins**

110 g de beurre très mou

110 g de sucre roux
en poudre

2 œufs

1 c. à soupe de lait

110 g de farine
avec levure incorporée

1 c. à café rase de levure
chimique

1 c. à café
de quatre-épices

60 g de raisins secs
(blonds)

10 à 20 morceaux
de sucre

1 - Préchauffez le four à 180 °C et placez 18 caissettes
en papier dans deux plaques de 12 gâteaux individuels.
2 - Dans un saladier, travaillez le beurre jusqu'à ce qu'il
soit bien souple. Ajoutez le sucre, les œufs, le lait, la farine,
la levure et les épices. Battez jusqu'à ce que le mélange
soit bien crémeux. Pour tester la consistance de la pâte,
soulevez une cuillerée de pâte au-dessus du saladier
et donnez un petit coup sur la cuillère. Si la pâte se détache
difficilement de la cuillère, ajoutez un peu de lait, mélangez
et recommencez le test. Incorporez les raisins secs.
3 - À l'aide de 2 cuillères à café, répartissez la pâte dans
les caissettes en papier et faites cuire 10-15 minutes jusqu'à
ce que les gâteaux soient bien gonflés et dorés. Écrasez
grossièrement les morceaux de sucre et parsemez sur
les gâteaux. Démoulez et laissez refroidir sur une grille.

CUPCAKES À LA NOIX DE COCO

20 MIN DE PRÉPARATION - 10-15 MIN DE CUISSON

POUR 36 GÂTEAUX

**Pour la génoise
à la noix de coco**

130 g de beurre mou

200 g de sucre en poudre

2 œufs, plus 2 blancs

130 g de farine
avec levure incorporée

1 c. à café de levure
chimique

2 c. à soupe de lait

80 g de noix de coco
râpée

Pour décorer

1 portion de glaçage
au sucre glace
(voir page 10)

copeaux de noix de coco
fraîche

sucre glace pour
saupoudrer (facultatif)

1- Préchauffez le four à 180 °C et placez 36 caissettes
en papier dans trois plaques de 12 gâteaux individuels.
2- Dans un saladier, travaillez le beurre jusqu'à ce qu'il soit
bien souple. Ajoutez la moitié du sucre, les œufs entiers,
la farine, la levure et le lait.
3- Montez les blancs en neige puis incorporez le reste
de sucre et la noix de coco râpée. Ajoutez ce mélange
à la pâte à gâteau. Versez la pâte dans les caissettes
en papier et faites cuire 10-15 minutes jusqu'à ce qu'ils
soient bien gonflés.
4- Démoulez et laissez refroidir sur une grille. Décorez avec
du glaçage au sucre glace et parsemez de copeaux de noix
de coco. Ces cupcakes sont également délicieux servis
tièdes et simplement saupoudrés de sucre glace.

GÂTEAUX GLACÉS AU FONDANT

45 MIN DE PRÉPARATION - 15-17 MIN DE CUISSON

POUR 16 GÂTEAUX

Pour la génoise classique

250 g de beurre très mou

250 g de sucre en poudre

4 gros œufs

1 c. à c. d'extrait de vanille ou le zeste râpé de 3 citrons et quelques gouttes d'arôme de citron

250 g de farine avec levure incorporée

un peu de lait (si besoin)

Pour la garniture et la décoration

confiture d'abricots ou de framboises

crème au beurre à la vanille (voir page 12)

glaçage au fondant à étaler prêt à l'emploi

colorant alimentaire (facultatif)

glaçage au sucre glace coloré (voir page 10)

poudre scintillante

1 - Préchauffez le four à 180 °C et placez 16 caissettes en papier dans les moules carrés.

2 - Dans un saladier, travaillez le beurre jusqu'à ce qu'il soit bien souple. Ajoutez le sucre et battez jusqu'à ce que la pâte soit mousseuse. Ajoutez les œufs un par un. Ajoutez l'extrait de vanille ou le zeste de citron et l'arôme.

3 - Tamisez la farine. Tamisez-la de nouveau en l'ajoutant à la pâte et mélangez à l'aide d'une cuillère métallique. Ajoutez un peu de lait si nécessaire pour obtenir une pâte qui se détache facilement de la cuillère lorsque vous la soulevez.

4 - Répartissez la pâte dans les caissettes en essayant de les remplir uniformément. Faites cuire 15-17 minutes jusqu'à ce que les gâteaux gonflent jusqu'au bord des moules et soient légèrement dorés. Laissez refroidir dans les moules.

5 - Retirez les caissettes si vous le souhaitez, coupez les gâteaux en deux dans le sens de la largeur et garnissez-les de confiture et de crème au beurre. Badigeonnez chaque gâteau d'un peu de confiture.

6 - Étalez le fondant en couche fine entre deux feuilles de papier sulfurisé. Découpez des morceaux en forme de croix. Recouvrez chaque gâteau. Rédigez des messages à l'aide du glaçage au sucre glace coloré et décorez avec des fleurs et de la poudre scintillante par exemple.

CUPCAKES AUX AMANDES ET CRÈME AU BEURRE

35 MIN DE PRÉPARATION - 15-17 MIN DE CUISSON

POUR 11 GÂTEAUX

**Pour la génoise
aux amandes**

150 g de beurre très mou

150 g de sucre en poudre

3 œufs moyens

1 c. à soupe de lait

100 g de farine
avec levure incorporée

1 c. à café rase de levure
chimique

50 g d'amandes
en poudre

quelques gouttes
d'arôme d'amande

confiture de framboise
ou de fraise pour servir

Pour la crème au beurre

80 g de beurre très mou

200 g de sucre glace,
plus un peu pour
saupoudrer

une goutte d'arôme
d'amande

1/2 c. à soupe de lait

1 - Préchauffez le four à 180 °C et placez 11 caissettes en papier dans une plaque de 12 muffins.

2 - Dans un saladier, travaillez le beurre jusqu'à ce qu'il soit bien souple. Ajoutez le sucre en poudre, les œufs, le lait (si vous en utilisez), la farine, la levure, les amandes en poudre et l'arôme d'amande. Battez jusqu'à ce que le mélange soit bien crémeux. Pour tester la consistance de la pâte, soulevez une cuillerée de pâte au-dessus du saladier et donnez un petit coup sur la cuillère. Si la pâte se détache difficilement de la cuillère, ajoutez un peu de lait et mélangez. Recommencez le test.

3 - À l'aide de 2 cuillères à café, répartissez la pâte dans les caissettes en papier et faites cuire 15-17 minutes jusqu'à ce que les gâteaux soient bien gonflés et dorés. Démoulez et laissez refroidir sur une grille.

4 - Pour préparer la crème au beurre, travaillez le beurre dans un saladier jusqu'à ce qu'il soit bien souple. Ajoutez le sucre glace, l'arôme d'amande et le lait puis mélangez jusqu'à ce que la crème soit bien onctueuse. Déposez la crème sur les gâteaux à l'aide d'une cuillère ou d'une poche à douille, puis ajoutez une bonne cuillerée de confiture. Saupoudrez ensuite de sucre glace.

CUPCAKES FACILES AU CHOCOLAT

45 MIN DE PRÉPARATION - 10-15 MIN DE CUISSON

POUR 12 GÂTEAUX

**Pour la génoise
au chocolat**

20 g de cacao en poudre

110 g de beurre très mou

110 g de sucre en poudre

2 œufs

1/2 c. à café d'extrait
de vanille

1 c. à soupe de lait,
ou un peu plus

110 g de farine
avec levure incorporée

1 c. à café rase de levure
chimique

Pour le glaçage

1 portion de crème
au beurre à la vanille
(voir page 12), colorée
en rose

sucre glace

1- Préchauffez le four à 180 °C et placez 12 caissettes
en papier dans une plaque de 12 gâteaux individuels.
2- Mettez le cacao en poudre et un peu d'eau chaude
dans un bol et mélangez pour former une pâte.
3- Dans un saladier, travaillez le beurre jusqu'à ce qu'il soit bien
souple. Ajoutez le cacao en poudre, le sucre, les œufs, l'extrait
de vanille, le lait, la farine et la levure chimique. Mélangez
soigneusement jusqu'à ce que le mélange soit bien crémeux.
Pour tester la consistance de la pâte, soulevez une cuillerée
de pâte au-dessus du saladier et donnez un petit coup
sur la cuillère. Si la pâte se détache difficilement de la cuillère,
ajoutez un peu de lait et mélangez. Recommencez le test.
4- À l'aide de 2 cuillères à café, répartissez la pâte dans
les caissettes en papier et faites cuire 10-15 minutes jusqu'à
ce que les gâteaux soient bien gonflés et souples au toucher.
Démoulez et laissez refroidir sur une grille.
5- Lorsque les gâteaux sont froids, découpez une fine tranche
du sommet des gâteaux et recoupez-la en deux.
Couvrez chaque gâteau d'une cuillerée de crème au beurre
et plantez les tranches de gâteau dans la crème de telle sorte
qu'elles ressemblent aux ailes d'un papillon. Saupoudrez
de sucre glace.

CUPCAKES AU CHOCOLAT ET À LA BANANE

45 MIN DE PRÉPARATION - 10-13 MIN DE CUISSON

POUR 24 GÂTEAUX

Pour la génoise chocolat-banane

130 g de beurre mou

130 g de sucre en poudre

130 g de farine avec levure incorporée

2 c. à soupe bien pleines de cacao en poudre

3 œufs

3 bananes mûres

1 c. à café rase de levure chimique

Pour le glaçage

2 portions de crème au beurre au chocolat ou à la vanille (voir page 12) ou 1 portion de glaçage à la crème fouettée (voir page 22)

1- Préchauffez le four à 180 °C et placez 24 caissettes en papier dans deux plaques de 12 gâteaux individuels.

2- Mettez le beurre, le sucre, la farine, le cacao et les œufs dans un saladier et battez jusqu'à ce que le mélange soit bien lisse et sans grumeaux.

3- Mettez les bananes dans un autre saladier et écrasez-les en laissant de petits morceaux. Versez la levure chimique en pluie sur les bananes et mélangez. Ajoutez les bananes à la pâte et mélangez en veillant à conserver les petits morceaux de banane.

4- Répartissez la pâte dans les caissettes en papier et faites cuire 10-13 minutes jusqu'à ce que les gâteaux soient bien gonflés et souples au toucher. Démoulez et laissez refroidir sur une grille.

5- Déposez le glaçage sur les gâteaux en formant des spirales ou utilisez une poche à douille.

GÂTEAUX CHOCOLAT ET GANACHE CHOCOLAT BLANC

45 MIN DE PRÉPARATION - 20-25 MIN DE CUISSON

POUR 6 GÂTEAUX

Pour le gâteau au chocolat

100 g de chocolat noir

60 g de beurre

60 g de sucre roux en poudre

50 g d'amandes en poudre

25 g de chapelure maison réalisée avec du pain complet

2 œufs, le blanc et le jaune séparés

Pour la ganache au chocolat blanc

150 g de chocolat blanc de bonne qualité, haché

150 ml de crème fraîche épaisse (entière)

fleurs ou pétales cristallisés, ou copeaux de chocolat pour décorer

1- Préchauffez le four à 180 °C et placez 6 caissettes en papier dans une plaque de 12 muffins.

2- Faites fondre le chocolat et laissez refroidir quelques instants.

3- Mettez le beurre et le sucre dans un saladier et mélangez bien. Ajoutez les amandes, la chapelure et les jaunes d'œufs. Mélangez. Ajoutez le chocolat fondu et légèrement refroidi.

4- Montez les blancs en neige et incorporez-les délicatement à la pâte. Versez la pâte dans les caissettes en papier et faites cuire 15 minutes jusqu'à ce que les gâteaux soient bien gonflés, dorés et légèrement pointus au milieu. Démoulez et laissez refroidir sur une grille. Retirez les gâteaux de leur caissette et reposez-les sur la grille.

5- Pour préparer le glaçage, mettez le chocolat blanc dans un saladier en verre. Faites chauffer la crème dans une casserole et retirez du feu dès qu'elle commence à bouillir. Versez aussitôt sur le chocolat et attendez 5 minutes avant de fouetter la crème pour obtenir un mélange bien lisse. Laissez refroidir en remuant de temps en temps jusqu'à ce que la ganache nappe le dos d'une cuillère. Ne la placez pas au réfrigérateur car la ganache deviendrait trop dure.

6- Versez la ganache refroidie sur les gâteaux et recouvrez bien le dessus et les côtés. Décorez avec des fleurs cristallisées ou des copeaux de chocolat si vous le souhaitez. Laissez durcir avant de servir.

CUPCAKES CHOCOLAT ET BEURRE DE CACAHUÈTES

45 MIN DE PRÉPARATION - 22-25 MIN DE CUISSON

POUR 12 GÂTEAUX

**Pour la génoise
au beurre de cacahuètes**

100 g de farine

100 g de farine
avec levure incorporée

175 g de beurre mou

175 g de sucre en poudre

3 œufs légèrement battus

4 c. à soupe de beurre
de cacahuètes
avec morceaux

1 c. à soupe de lait

**Pour le glaçage
au chocolat au lait**

75 g de chocolat
au lait coupé en petits
morceaux

50 g de beurre

125 g de sucre roux
en poudre

45 ml de crème fraîche
épaisse (entière)

175 g de sucre glace

2 c. à soupe de cacao
en poudre

1- Préchauffez le four à 180 °C et placez 12 caissettes
en papier dans une plaque de 12 muffins.
2- Tamisez les farines. Mettez le beurre et le sucre dans
un saladier et fouettez au batteur électrique jusqu'à ce
que le mélange blanchisse. Mélangez les œufs un par un.
Ajoutez le beurre de cacahuètes et battez. Raclez le contour
du saladier et les fouets. Incorporez les farines et ajoutez
suffisamment de lait pour obtenir une pâte assez souple qui
se détache facilement de la cuillère lorsque vous soulevez la pâte.
3- Versez la pâte dans les caissettes en papier et faites cuire
17-20 minutes jusqu'à ce que les gâteaux soient gonflés
et souples au toucher. Démoulez et laissez refroidir sur une grille.
4- Préparez le glaçage en faisant fondre à feu doux
le chocolat, le beurre, le sucre et la crème dans une casserole
à fond épais et de préférence antiadhésive. Remuez de temps
en temps jusqu'à ce que le sucre fonde. Retirez du feu
et ajoutez le sucre glace et le cacao en poudre en les tamisant.
Remuez jusqu'à ce que le mélange soit bien lisse.
5- Déposez le glaçage sur les gâteaux en formant
des spirales. Utilisez un couteau trempé dans de
l'eau chaude si le glaçage commence à durcir.

CUPCAKES AU CHOCOLAT ET AUX NOIX DE PÉCAN, GLAÇAGE FONDANT AU CHOCOLAT

45 MIN DE PRÉPARATION - 20-25 MIN DE CUISSON

POUR 10 GÂTEAUX

Pour la génoise chocolat-noix de pécan

25 g de cacao en poudre

125 g de beurre mou

125 g de sucre complet non raffiné en poudre

2 œufs

1/2 c. à café d'extrait de vanille

1 c. à soupe de lait

75 g de farine complète

1 ½ c. à café de levure chimique

1 poignée de noix de pécan hachées grossièrement

Pour le glaçage fondant au chocolat

100 g de chocolat noir

100 g de chocolat au lait

125 g de beurre mou

100 g de sucre glace

fleurs en sucre pour décorer

1 - Préchauffez le four à 190 °C et placez 10 caissettes en papier dans une plaque de 12 gâteaux individuels.

2 - Mettez le cacao en poudre et 3 c. à soupe d'eau chaude dans un bol et mélangez pour former une pâte.

3 - Dans un saladier, travaillez le beurre jusqu'à ce qu'il soit bien souple. Ajoutez le cacao en poudre, le sucre, les œufs, l'extrait de vanille, le lait, la farine et la levure. Mélangez bien. Ajoutez les noix de pécan.

4 - Battez jusqu'à ce que le mélange soit bien crémeux. Pour tester la consistance de la pâte, soulevez une cuillerée de pâte au-dessus du saladier et donnez un petit coup sur la cuillère. Si la pâte se détache difficilement de la cuillère, ajoutez un peu de lait et mélangez. Recommencez le test.

5 - Répartissez la pâte dans les caissettes en papier et faites cuire 10-15 minutes jusqu'à ce que les gâteaux soient bien gonflés et souples au toucher. Démoulez et laissez refroidir sur une grille.

6 - Préparez le glaçage en faisant fondre les deux chocolats. Ajoutez le beurre et le sucre glace. Mélangez jusqu'à ce que la crème soit lisse et onctueuse. Laissez refroidir jusqu'à ce que la texture soit assez épaisse pour être étalée. Déposez la crème sur les gâteaux en formant des spirales et décorez vos cupcakes de fleurs en sucre.

CUPCAKES AU CHOCOLAT NOIR

35 MIN DE PRÉPARATION - 30-35 MIN DE CUISSON

POUR 12 GÂTEAUX

**Pour la génoise
au chocolat noir**

75 g de chocolat
noir coupé en petits
morceaux

200 ml de lait

75 g de sucre roux
en poudre

75 g de beurre mou

175 g de sucre en poudre

2 œufs

1 c. à soupe de cacao
en poudre

175 g de farine

1 c. à café de
bicarbonate de soude

**Pour le glaçage
à l'américaine**

1 blanc d'œuf

225 g de sucre glace

1- Préchauffez le four à 180 °C et placez 12 caissettes
en papier dans une plaque de 12 muffins.

2- Mettez le chocolat, le lait et le sucre roux dans une petite
casserole à fond épais et de préférence anti-adhésive, et faites
fondre à feu doux le sucre et le chocolat. Laissez refroidir.

3- Dans un saladier, travaillez le beurre jusqu'à ce qu'il soit
bien souple. Ajoutez le sucre en poudre et battez jusqu'à
ce que la pâte soit légère et mousseuse. Ajoutez les œufs
en battant bien. Tamisez le cacao la farine et le bicarbonate.
Incorporez-les à la pâte à l'aide d'une cuillère métallique.

4- Mélangez le chocolat à la pâte. Répartissez la pâte dans
les caissettes en papier et faites cuire 10-15 minutes jusqu'à
ce que les gâteaux soient bien gonflés et souples au toucher.
Démoulez et laissez refroidir sur une grille.

5- Pour réaliser le glaçage, mettez le blanc d'œuf dans
un saladier propre et montez-le en neige très ferme.

6- Versez le sucre glace et 60 ml d'eau dans une casserole
à fond épais. Faites chauffer à feu doux pour faire fondre le
sucre. Puis, sans mélanger, portez à ébullition et laissez bouillir
jusqu'à ce que le sirop atteigne 115-120 °C au thermomètre
à sucre. Retirez du feu et attendez que les bulles retombent.
Ajoutez alors peu à peu le blanc d'œuf tout en fouettant
jusqu'à ce que des pics se forment.

7- Déposez le glaçage généreusement sur les gâteaux
en formant des spirales – procédez rapidement car le glaçage
durcit très vite.

EXPRESSO CUPCAKES

45 MIN DE PRÉPARATION - 17-22 MIN DE CUISSON

POUR 12 GÂTEAUX

**Pour la génoise
au café**

110 g de sucre
muscovado
ou de sucre complet
non raffiné en poudre

100 ml de lait

180 ml de café fort
(expresso)

20 g de mélasse

200 g de golden syrup
(au rayon des produits
britanniques) ou de sirop
de blé

230 g de farine
avec levure incorporée

1 c. à café de
bicarbonate de soude

1 œuf

Pour le glaçage au café

1 blanc d'œuf

175 g de sucre glace

1 pincée de sel

2 c. à soupe de liqueur
de café ou de café fort

1- Préchauffez le four à 180 °C et placez 12 caissettes
en papier dans une plaque de 12 muffins.
2- Mettez le sucre et le lait dans une casserole et faites fondre
le sucre à feu doux. Ajoutez le café, la mélasse et le golden
syrup. Faites chauffer tout en remuant. Retirez du feu
et laissez légèrement refroidir.
3- Dans un saladier, tamisez la farine et le bicarbonate
de soude. Ajoutez le mélange précédent ainsi que l'œuf.
Battez bien pour mélanger. Répartissez la pâte dans
les caissettes en papier. Faites cuire 10-15 minutes jusqu'à
ce que les gâteaux soient légèrement gonflés et souples
au toucher. Démoulez et laissez refroidir sur une grille.
4- Pour réaliser le glaçage, mettez tous les ingrédients
dans un saladier en verre et fouettez à l'aide d'un batteur
électrique. Posez le saladier sur une casserole d'eau
frémissante sans que le fond du saladier ne touche l'eau
et fouettez 7 minutes jusqu'à ce que le mélange forme des pics.
Déposez le glaçage sur les gâteaux en formant des spirales.

CUPCAKES AUX FRAMBOISES

35 MIN DE PRÉPARATION - 10-15 MIN DE CUISSON

POUR 18 GÂTEAUX

**Pour la génoise
aux framboises**

125 g de beurre très mou

125 g de sucre vanillé ou
de sucre roux en poudre

2 œufs

1 c. à soupe de lait

125 g de farine
avec levure incorporée

1 c. à café rase de levure
chimique

1 poignée de framboises
fraîches, plus quelques-
unes pour décorer

**Pour la crème
au beurre à la vanille**

200 g de beurre mou

400 g de sucre glace

1 c. à soupe de lait

1 c. à café d'extrait
de vanille

copeaux de chocolat
blanc pour décorer

1- Préchauffez le four à 180 °C et placez 18 caissettes
en papier dans deux plaques de 12 gâteaux individuels.
2- Dans un saladier, travaillez le beurre jusqu'à ce qu'il
soit bien souple. Ajoutez le sucre, les œufs, le lait,
la farine et la levure chimique. Battez jusqu'à ce que
la pâte soit homogène et crémeuse. Ajoutez les framboises.
3- Répartissez la pâte dans les caissettes en papier et faites
cuire 10-15 minutes jusqu'à ce que les gâteaux soient bien
gonflés et dorés. Démoulez et laissez refroidir sur une grille.
4- Pour réaliser la crème au beurre, mettez le beurre dans
un saladier et travaillez-le jusqu'à ce qu'il soit bien souple.
Ajoutez le sucre glace et suffisamment de lait pour que la
crème soit mousseuse. Ajoutez l'extrait de vanille. Déposez
la crème en formant des spirales ou utilisez une poche
à douille. Décorez avec des framboises et des copeaux
de chocolat blanc.

CUPCAKES AUX FRAISES ET GLAÇAGE AU MASCARPONE

35 MIN DE PRÉPARATION - 30 MIN DE REPOS - 15 MIN DE CUISSON

POUR 18 GÂTEAUX

**Pour la génoise
au fromage frais**

100 g de beurre mou

100 g de fromage
frais crémeux

150 g de sucre en poudre

2 œufs

1/2 c. à café d'extrait
de vanille

150 g de farine
avec levure incorporée

Pour les fraises au sirop

150 g de fraises coupées
en quatre

2 c. à café de sucre glace

1 c. à café de sirop
de rose

Pour le glaçage

150 g de mascarpone

2 c. à soupe de sucre
glace

1 c. à café d'extrait
de vanille

2 c. à soupe de crème
fraîche épaisse (entière)

1 - Préchauffez le four à 180 °C et placez 18 caissettes
en papier dans deux plaques de 12 muffins.

2 - Mettez le beurre, le fromage frais, le sucre, les œufs
et l'extrait de vanille dans un saladier et fouettez à l'aide
d'un batteur électrique jusqu'à ce que la pâte soit légère
et mousseuse. Incorporez la farine tout en fouettant.

3 - Versez dans les caissettes en papier et faites cuire
15 minutes jusqu'à ce que les gâteaux soient gonflés
et souples au toucher. Démoulez et laissez refroidir
sur une grille.

4 - Pour réaliser les fraises au sirop, mélangez tous
les ingrédients en veillant à ne pas écraser les fraises.
Laissez reposer 30 minutes.

5 - Pour réaliser le glaçage, mettez les ingrédients dans
un saladier et battez jusqu'à ce que le mélange soit
mousseux. Pour servir, déposez sur chaque gâteau
le glaçage au mascarpone en formant des spirales
et versez les fraises et le sirop sur le glaçage.

GÂTEAUX AU SIROP À LA VANILLE ET AU CITRON VERT

35 MIN DE PRÉPARATION - 20 MIN DE CUISSON

POUR 9 GÂTEAUX

Pour les gâteaux coco-citron vert

125 g de beurre mou

30 g de noix de coco râpée

125 g de sucre en poudre

125 g de farine avec levure incorporée

1 c. à café de levure chimique

2 œufs

le zeste et le jus de 2 citrons verts

crème fouettée pour servir

Pour le sirop au citron vert et à la vanille

100 g de sucre en poudre

les grains d'une gousse de vanille

le zeste et le jus de 1 citron vert

1- Préchauffez le four à 180 °C et placez 9 caissettes en papier dans une plaque de 12 muffins.

2- Dans un saladier, travaillez le beurre jusqu'à ce qu'il soit bien souple. Ajoutez la noix de coco, le sucre, la farine, la levure chimique, les œufs, le zeste et le jus des citrons verts. Battez jusqu'à ce que la pâte soit homogène.

3- Versez la pâte dans les caissettes en papier et faites cuire 15 minutes jusqu'à ce que les gâteaux soient bien gonflés et souples au toucher. Démoulez et laissez refroidir.

4- Pour réaliser le sirop, mettez le sucre et 100 ml d'eau dans une petite casserole. Faites fondre le sucre et portez à ébullition. Ajoutez les grains de vanille et laissez cuire 1 minute. Retirez du feu et ajoutez le zeste et le jus de citron vert.

GÂTEAUX À LA LAVANDE

45 MIN DE PRÉPARATION - 15 MIN DE CUISSON

POUR 24 GÂTEAUX

**Pour la génoise
à la lavande**

100 g de sucre vanillé

1 gros œuf

2 c. à soupe de yaourt
nature (entier)

60 ml d'huile de tournesol
ou de pépins de raisin

100 g de farine

1/4 c. à café de levure
chimique

1/4 c. à café
de bicarbonate de soude

1 pincée de sel

1 c. à café de fleurs
de lavande fraîche,
plus quelques-unes
pour décorer

1 portion de glaçage au
sucre glace (voir page 10)

1- Préchauffez le four à 180 °C et placez 24 caissettes
en papier dans deux plaques de 12 gâteaux individuels.

2- Mettez le sucre et l'œuf dans un grand saladier.
Fouettez à l'aide d'un batteur électrique jusqu'à ce
que le mélange épaississe et blanchisse. Lorsque
vous soulevez le fouet, il doit rester une trace dans la pâte
(vous devez pouvoir écrire vos initiales).

3- Incorporez le yaourt puis versez progressivement l'huile
tout en fouettant. Tamisez la farine, la levure, le bicarbonate
de soude et le sel puis ajoutez-les à la pâte. Battez jusqu'à
ce que la pâte soit bien lisse et sans grumeaux.
Versez la lavande en pluie puis transvasez la pâte
dans une carafe.

4- Versez la pâte dans les caissettes et faites cuire 15 minutes
jusqu'à ce que les gâteaux soient bien gonflés et souples
au toucher. Démoulez et laissez refroidir sur une grille.

5- Lorsque les gâteaux ont refroidi, couvrez de glaçage
au sucre glace ou au fondant. Parsemez de lavande.

GÂTEAUX À LA FLEUR D'ORANGER

35 MIN DE PRÉPARATION - 5-10 MIN DE CUISSON

POUR 24-30 GÂTEAUX
Pour la génoise nature
3 gros œufs
100 g de sucre en poudre
100 g de farine

**Pour le glaçage
à la fleur d'oranger**
350 g de sucre glace
le jus de 1 à 2 oranges
1 c. à café d'eau de fleur
d'oranger
fleurs cristallisées
ou des décorations
raffinées pour décorer

1- Préchauffez le four à 200 °C et placez 24 à 30 caissettes
en papier dans deux ou trois plaques de 12 gâteaux individuels.
2- Mettez les œufs et le sucre dans un grand saladier en verre.
Posez le saladier sur une casserole d'eau frémissante
sans que le fond du saladier ne touche l'eau. Fouettez
à l'aide d'un batteur électrique jusqu'à ce que le mélange
double de volume et blanchisse. Vous devez pouvoir écrire
vos initiales dans la pâte avec les fouets du batteur.
3- Retirez le saladier de la casserole et battez jusqu'à ce que
la pâte tiédisse. Tamisez la moitié de la farine sur la pâte et
incorporez-la délicatement à l'aide d'une cuillère métallique
ou d'une spatule en plastique. Ajoutez l'autre moitié
de la farine de la même façon.
4- Répartissez la pâte dans les caissettes en papier
en procédant assez rapidement et faites cuire 5-10 minutes
jusqu'à ce que les gâteaux soient bien gonflés, souples
au toucher et d'un joli blond pâle. Démoulez et laissez
refroidir sur une grille.
5- Pour réaliser le glaçage, tamisez le sucre glace dans
un saladier et ajoutez suffisamment de jus d'orange
pour obtenir une pâte assez épaisse. Ajoutez l'eau de fleur
d'oranger et un peu plus de jus d'orange si nécessaire.
Étalez le glaçage sur les gâteaux et décorez avec
les fleurs cristallisées ou la décoration de votre choix.

CUPCAKES AU GINGEMBRE

35 MIN DE PRÉPARATION - 8-10 MIN DE CUISSON

POUR 24 GÂTEAUX

**Pour la génoise
aux épices**

110 g de mélasse

110 g de golden syrup
(au rayon des produits
britanniques) ou
de sirop de blé

280 ml de lait

110 g de sucre
muscovado ou de sucre
complet non raffiné
en poudre

230 g de farine
avec levure incorporée

1 c. à café de quatre-
épices

1 c. à café de cannelle
moulue

1 c. à café de gingembre
moulu

1 c. à café de
bicarbonate de soude

1 œuf

1- Préchauffez le four à 180 °C et placez 24 caissettes
en papier dans deux plaques de 12 gâteaux individuels.
2- Dans une petite casserole, faites chauffer à feu doux
la mélasse et le golden syrup pour les mélanger.
3- Dans une autre casserole, faites chauffer le lait et le sucre
à feu doux jusqu'à ce que le sucre ait fondu. Laissez refroidir.
4- Tamisez la farine, les épices et le bicarbonate de soude.
Ajoutez le lait sucré, la mélasse, le golden syrup et l'œuf.
Mélangez bien. Répartissez la pâte dans les caissettes
en papier et faites cuire 8-10 minutes jusqu'à ce que
les gâteaux soient légèrement gonflés et souples
au toucher. Démoulez et laissez refroidir sur une grille.

CUPCAKES FAÇON CRUMBLE À LA POIRE
ET AU CASSIS

45 MIN DE PRÉPARATION - 16-21 MIN DE CUISSON

POUR 24 GÂTEAUX
**Pour la génoise
poire-cassis**

2 petites poires mûres,
pelées et hachées

1 poignée de cassis
(frais ou surgelés)

2 c. à soupe de sucre
glace, et un peu
pour saupoudrer

125 g de beurre très mou

125 g de sucre vanillé
ou de sucre roux
en poudre

2 œufs

125 g de farine
avec levure incorporée

1 c. à café rase de levure
chimique

Pour la pâte à crumble

30 g de beurre

60 g de farine

20 g de sucre en poudre

1- Préchauffez le four à 190 °C et placez 24 caissettes
en papier dans deux plaques de 12 gâteaux individuels.

2- Pour préparer la pâte à crumble, mettez le beurre et la farine
dans un saladier. Mélangez du bout du doigt jusqu'à ce
que la pâte soit sablée. Ajoutez le sucre et un peu d'eau froide
et mélangez pour obtenir la texture d'une pâte à crumble.

3- Mélangez ensemble les poires, le cassis et le sucre glace.
Réservez.

4- Dans un saladier, travaillez le beurre jusqu'à ce qu'il soit
bien souple. Ajoutez le sucre, les œufs, la farine et la levure
chimique. Battez jusqu'à ce que la pâte soit homogène
et crémeuse.

5- Répartissez la pâte dans les caissettes et faites cuire
6 minutes. Retirez du four et répartissez rapidement les fruits
sur la pâte puis parsemez de pâte à crumble. Enfournez pour
10-15 minutes jusqu'à ce que le dessus brunisse. Démoulez
et laissez refroidir sur une grille. Servez les cupcakes chauds
saupoudrés de sucre glace.

© Hachette Livre (Marabout) 2011
ISBN : 978-2-501-06986-1
40-6351-7
Achevé d'imprimer en janvier 2011
sur les presses d'Impresia-Cayfosa